COLORES

PatrickGeorge

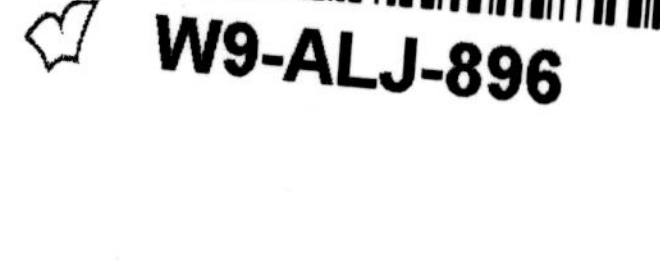

oso marrón

rana verde

caramelo amarillo

pez verde

pájaro verde

conejo marrón

coche amarillo

tren rojo

pelota verde

pelota marrón

hojas marrones

hojas verdes

sol naranja

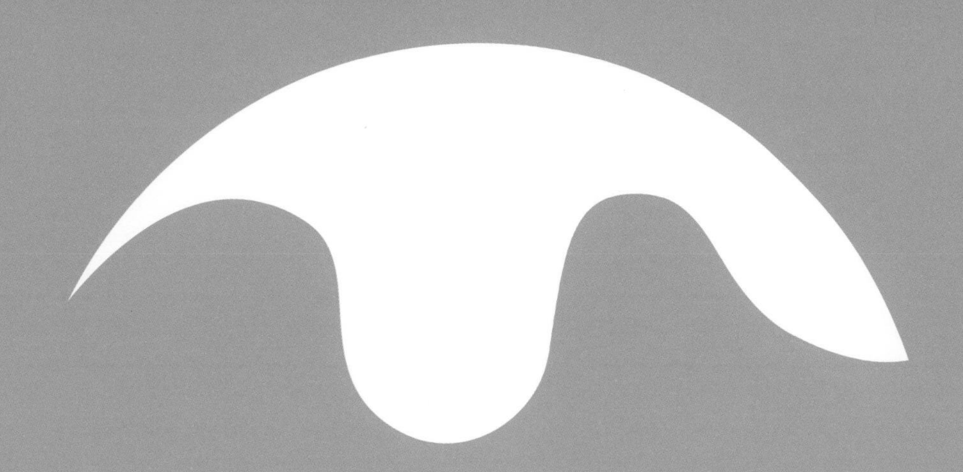

helado chocolate

uva verde

uva violeta

cielo azul

hierba verde

ratón blanco

gato negro

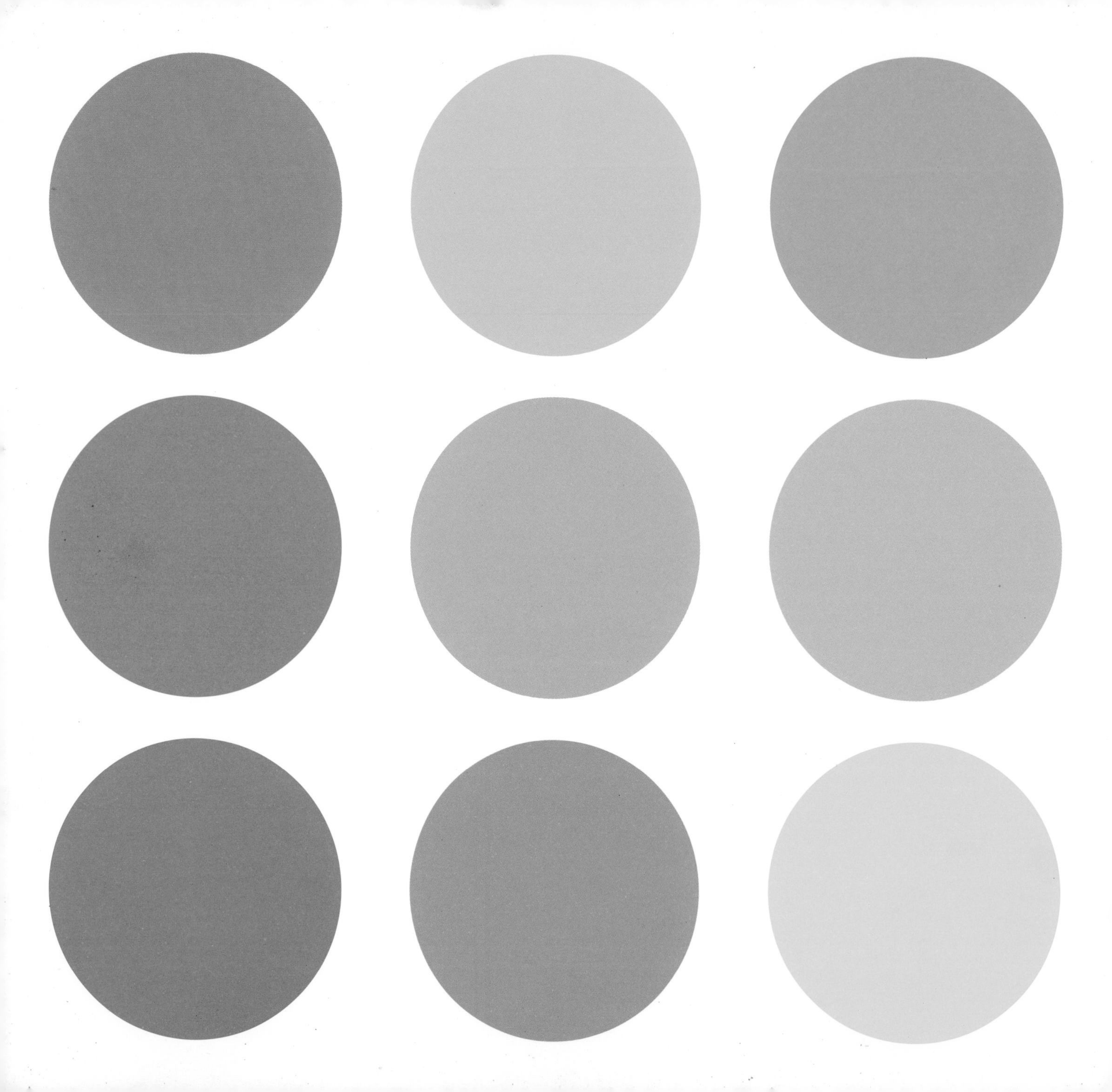

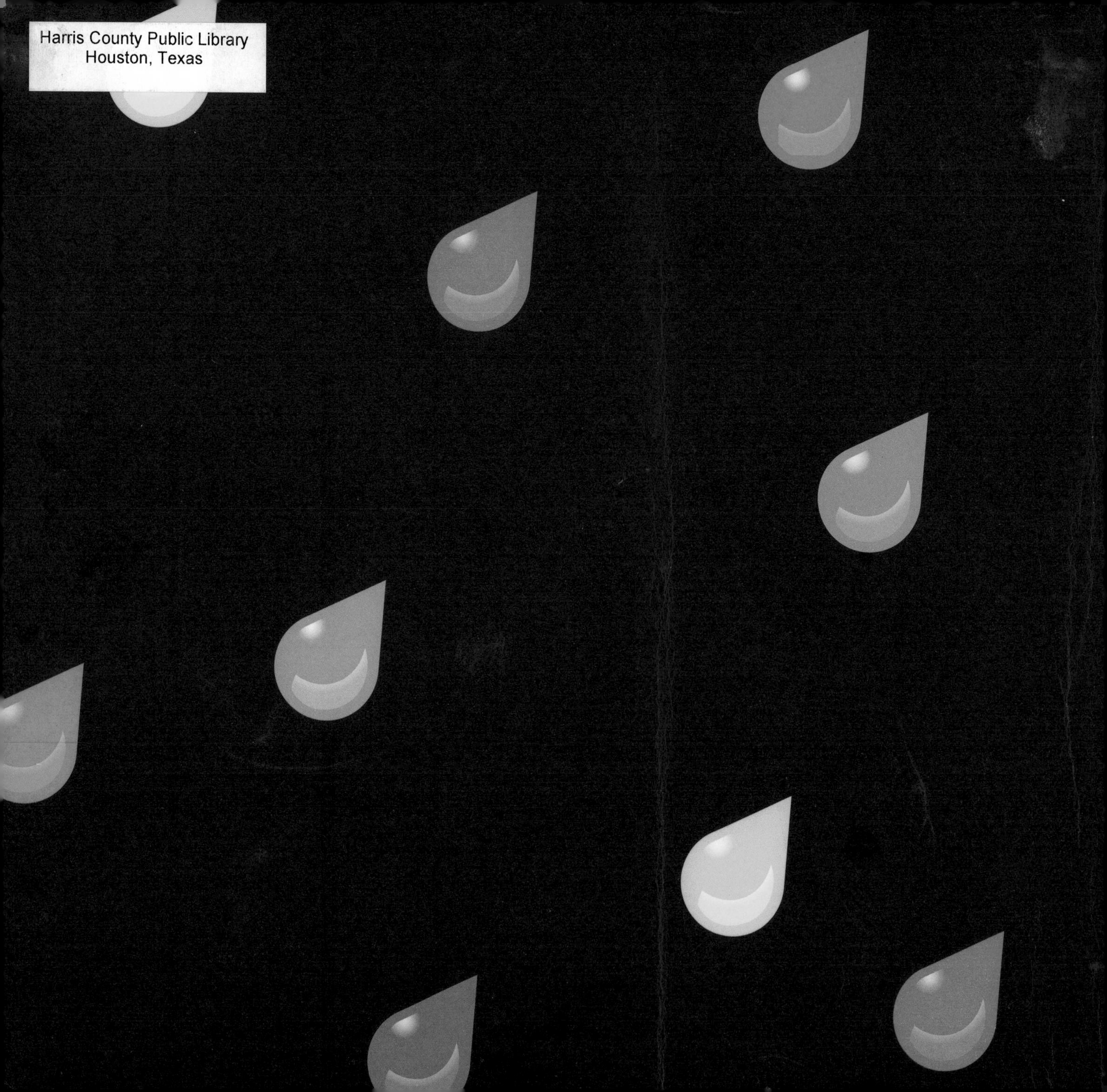

De la misma colección:

Título original: COLOURS
Idea e ilustraciones de PatrickGeorge

Publicado en 2011 por PatrickGeorge en Gran Bretaña

Provença, 101 - 08029 Barcelona
info@editorialjuventud.es
www.editorialjuventud.es

Primera edición, 2013

Traducción de Elodie Bourgeois

ISBN: 978-84-261-3993-1
DL B 11662-2013
Núm. de E. J.: 12.636

Printed in China

3 4028 08583 6899
HARRIS COUNTY PUBLIC LIBRARY